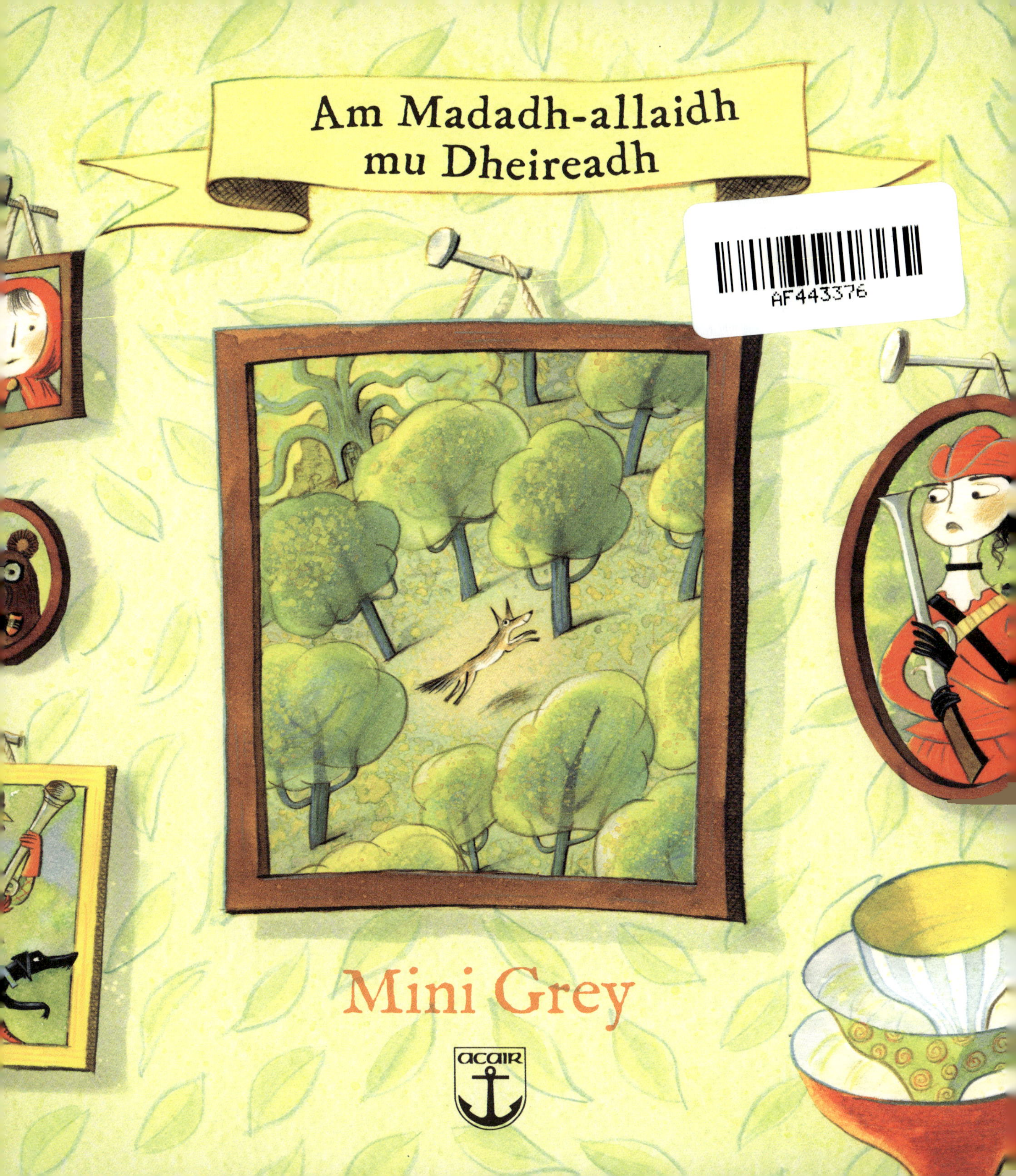
Am Madadh-allaidh mu Dheireadh
Mini Grey
acair

Do Sgàrlaid

RED FOX

AN RÌOGHACHD AONAICHTE | NA STÀITEAN AONAICHTE | CANADA | ÈIRINN |
ASTRÀILIA | NA H-INNSEACHAN | SEALAN NUADH | AFRAGA A DEAS
Tha Red Fox mar phàirt de bhuidheann chompanaidhean Penguin Random House
agus gheibhear na seòlaidhean aig Global.penguinrandomhouse.com

www.penguin.co.uk   www.puffin.co.uk   www.ladybird.co.uk

A' chiad fhoillseachadh sa Bheurla 2018.   001

© Mini Grey, 2018

Tha còraichean an ùghdair/dealbhadair glèidhte.

A' chiad fhoillseachadh sa Ghàidhlig 2021 le Acair, An Tosgan, Rathad Shìophoirt, Steòrnabhagh, Eilean Leòdhais HS1 2SD

info@acairbooks.com   www.acairbooks.com

© an teacsa Ghàidhlig 2021 Acair

An tionndadh Gàidhlig le Mòrag Anna NicNèill. An dealbhachadh sa Ghàidhlig le Mairead Anna NicLeòid.

Na còraichean uile glèidhte. Chan fhaodar pàirt sam bith dhen leabhar seo ath-riochdachadh an cruth sam bith,
a stòradh ann an siostam a dh'fhaodar fhaighinn air ais, no a chur a-mach air dhòigh sam bith, eileagtronaigeach,
meacanaigeach, samhlachail, clàraichte no ann am modh sam bith eile gun chead ro làimh bhon fhoillsichear.

Tha Acair a' faighinn taic bho Bhòrd na Gàidhlig.

Gheibhear clàr catalog CIP airson an leabhair seo ann an Leabharlann Bhreatainn.

Clò-bhuailte ann an Sìona   LAGE/ISBN 978-1-78907-087-3

GACH SGRÌOBHADH GU:
RED FOX, PENGUIN RANDOM HOUSE CHILDREN'S,
ONE EMBASSY GARDENS, 8 VIADUCT GARDENS, LONDON SW11 7BW

Riaghladair Carthannas na h-Alba
Carthannas Clàraichte
Registered Charity SC047866

Aon latha chuir Sgàrlaid Bheag oirre a h-ad seilge agus
a bòtannan, thilg i an gunna-cnagain aice air a druim,
lìon i am bogsa-bìdh aice le rudan, agus thuirt i ri a màthair:

"Tha mi a' falbh a ghlacadh madadh-allaidh."

Tha sin ceart gu leòr, smaoinich màthair Sgàrlaid.

Chan eil madadh-allaidh air a bhith san àite seo airson co-dhiù ceud bliadhna.

"Gura math a thèid leat, a Sgàrlaid," thuirt i, "agus feuch nach bi thu fadalach airson do thì."

Min-choirce Fhoirfe

Mil Mèirle ÒIR

Chaidh Sgàrlaid a shealg tron choille.

Chaidh i
am falach air
cùl craoibhe,
agus leum i
a-mach air . . .

poca-sgudail.

Shlaighd i tron rainich, agus thug
i ionnsaigh air . . .

bun-craoibhe.
Chaidh Sgàrlaid
na b' fhaide
a-steach dhan
choille.

Thòisich Sgàrlaid a' ruith.

Ruith i agus thuit i –

Dh'fhàs i dorcha agus chaill i a slighe.
Bha fuaimean fiadhaich agus geugan gràineil ann.

ach dè bha seo?

Seòrsa de dhoras?

Dh'fheuch i nob an dorais
agus ghnog i agus bhuail i . . .

agus chaidh an doras
fhosgladh leis . . .

a' Mhadadh-allaidh
Mu Dheireadh
san tìr.

Bha am Madadh-allaidh Mu Dheireadh
a' fuireach ann an uamh-craoibhe chofhurtail,

còmhla ris an Lince Mu Dheireadh
agus am Mathan Mu Dheireadh.

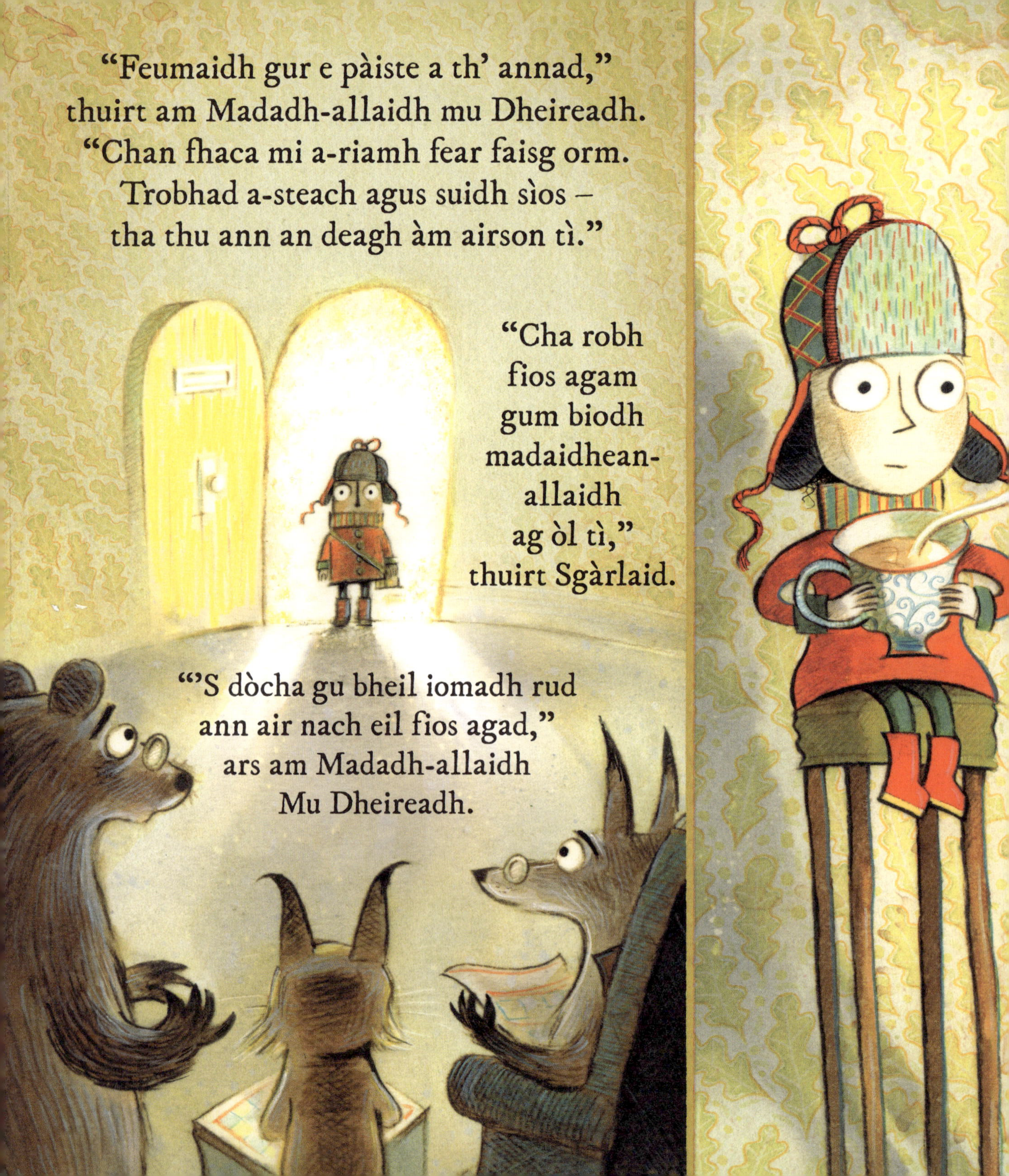

"Feumaidh gur e pàiste a th' annad,"
thuirt am Madadh-allaidh mu Dheireadh.
"Chan fhaca mi a-riamh fear faisg orm.
Trobhad a-steach agus suidh sìos –
tha thu ann an deagh àm airson tì."

"Cha robh
fios agam
gum biodh
madaidhean-
allaidh
ag òl tì,"
thuirt Sgàrlaid.

"'S dòcha gu bheil iomadh rud
ann air nach eil fios agad,"
ars am Madadh-allaidh
Mu Dheireadh.

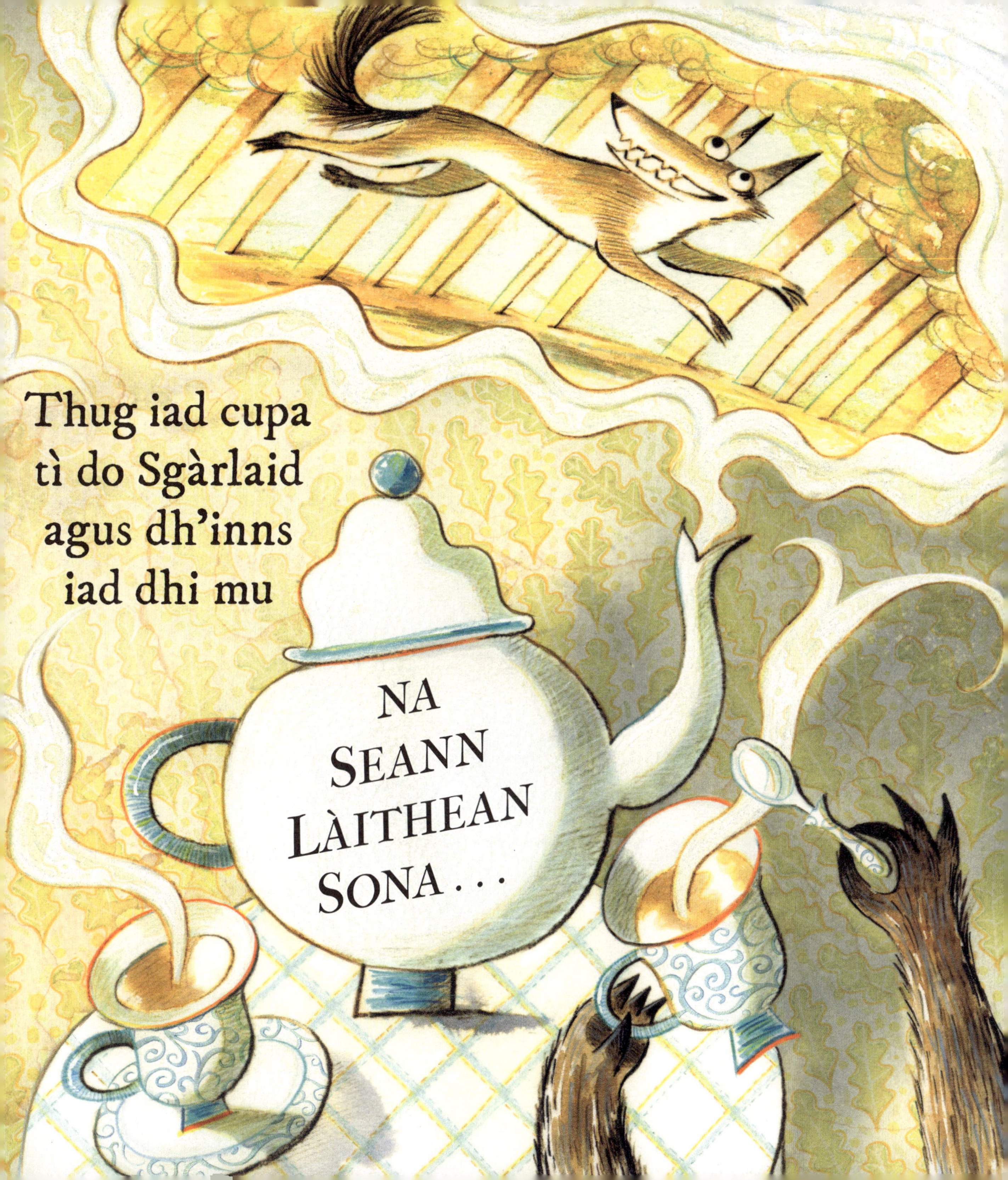

Thug iad cupa
tì do Sgàrlaid
agus dh'inns
iad dhi mu
NA
SEANN
LÀITHEAN
SONA . . .

... nuair a bha mìltean mòra de choilltean ann 'son ruith tromhpa

agus mìle brùid blasta san fheur, deiseil airson am bìdeadh . . .

. . . nuair a bha an saoghal
a' dol fodha le flùraichean
is seilleanan agus
a' sruthadh le mil . . .

. . . nuair a b' urrainn dhut
sìneadh air geug

agus feitheamh gus an
coisicheadh do bhiadh
a-steach fo do spògan.

An-diugh, 's e gnothach duilich a th' ann deagh bhiadh a ghlacadh.

Tha rudan cho gann, agus tha na pasgain cho doirbh am fosgladh.

Choimhead iad le miann
air Sgàrlaid Bheag.
"Ach ò, nach ann annaibh a tha na
sùilean mòra, acrach," thuirt i . . .

. . . agus a-mach às a' bhogsa-bhìdh
aice gun tug i:

ugh bruich

rola-isbein

ceapaire
circe

agus ubhal.

"Chan eil e ro luath
air a chasan,
an t-ugh seo,"
thuirt am
Madadh-
allaidh.

"Tha e
gu math
furasta grèim
fhaighinn air,
an rola-isbein
seo," thuirt am
Mathan.

Ruith an Lince Mu Dheireadh
às dèidh a' cheapaire chirce
mun cuairt is mun cuairt
na h-uaimhe gus an
robh e air a leòn.

Dh'ith Sgàrlaid
an t-ubhal
agus smaoinich i mar a
b' urrainn dhi cuideachadh.

Ach bha i air fàs anmoch.
"Tha i a' fàs dorcha,"
thuirt Sgàrlaid
"agus feumaidh
mi falbh.
Bidh mo
mhàthair gam
ionndrainn a-nis."
Smaoinich i air a' Choille
Fhaileasaich
Fhiadhaich
a bha a' feitheamh
a-muigh.
"Tha mi a' smaoineachadh,"
ars am Madadh-allaidh
Mu Dheireadh,
"gun fheàrr dhuinn
coiseachd còmhla riut gus
an lorg thu do shlighe."
Mar sin, rinn Sgàrlai

Bheag, agus am Madadh-allaidh Mu Dheireadh, agus am Mathan Mu Dheireadh,
agus an Lince Mu Dheireadh
an rathad air ais
tron Choille Mu Dheireadh a bh' air fhàgail . . .

. . . gus an do ràinig iad

a' Chraobh Mu Dheireadh, agus a chunnaic iad solais dachaigh Sgàrlaid . . .

. . . agus a màthair

ga h-ionndrainn.

"Na dìochuimhnich do bhogsa-bìdh," thuirt am Mathan Mu Dheireadh.

"Slàn leibh, a rudan fiadhaich," thuirt Sgàrlaid. "Cha chreid mi nach eil fios agam dè tha a dhìth oirbh."

Ach bha iad air falbh mar-thà.

Às dèidh an dinnear, lorg màthair Sgàrlaid soidhne air doras seòmar-cadail Sgàrlaid.

"Uill, 's fheàrr dhuinn feadhainn a dhèanamh," thuirt màthair Sgàrlaid.

"Chan eil a dhìth ort ach sìol, ùir, grian, èadhar, uisge agus . . .

. . . airson craobh eireachdail dha-rìribh, mu cheud bliadhna."

Aon latha
bidh na
craobhan seo
mìorbhaileach.

FÀILTE AIR GACH
RUD FIADHAICH